Marcher le silence

Carnets du Japon

ici l'ailleurs
collection dirigée par Aline Apostolska

Déjà parus :

Christiane Duchesne, *Le premier ciel*
Pierre Samson, *Alibi*
Naïm Kattan, *Les villes de naissance*
Robert Dôle, *Mon Allemagne*
Sylvie Massicotte, *Au pays des mers*
Hélène Dorion, *Jours de sable*
Hugues Corriveau, *Hors frontières*
Martine Delvaux, Catherine Mavrikakis, *Ventriloquies*
Pierre Thibeault, *D'un ici à l'autre*
Linda Leith, *Épouser la Hongrie*
Marie-Andrée Lamontagne, *La méridienne*
Denise Desautels, *Ce désir toujours*
Lise Gauvin, *Un automne à Paris*
Geneviève Robitaille, *Éloge des petits riens*
Danielle Fournier, *Le chant unifié*
Louise Warren, *Nuage de marbre*

André Girard
André Duhaime

Marcher le silence

Carnets du Japon

LEMÉAC

Couverture : dessin de Jesús de Vilallonga, *Métiers* (détail), 11 × 19 cm, 2004.

Leméac Éditeur remercie le ministère du Patrimoine canadien, le Conseil des arts du Canada, la Société de développement des entreprises culturelles du Québec (SODEC) et le Programme de crédit d'impôt pour l'édition de livres du Québec (Gestion SODEC) du soutien accordé à son programme de publication.

ISBN-10 : 2-7609-6515-5
ISBN-13 : 978-2-7609-6515-7

4609, rue d'Iberville, 3e étage, Montréal (Québec) H2H 2L9
Dépôt légal – Bibliothèque et Archives nationales du Québec, 2006

Imprimé au Canada

À Gemma, ma mère,
quatre-vingt-dix ans,
toujours penchée
sur son atlas

A. G.

À Milan et à Sofia,
aussi fruits de l'Est

A. D.

Nous survolions le grand glacier d'Alaska lorsque André m'a proposé l'idée d'écrire à nous deux un *haïbun.* Sans trop savoir où cela allait me mener, j'ai accepté l'offre que je trouvais généreuse et séduisante.

Pourquoi pas ? me suis-je répété. Ce *je* déambulera bientôt à Tokyo et à Kashimo, et il pourrait de cette façon donner plus tard à lire. C'est au retour que tout a commencé à prendre forme, et je sais maintenant le plaisir d'écrire la partie prose d'un carnet de voyage à la japonaise.

Plaisir de retourner sur ses pas avec toute la distance possible, plaisir de revivre le quotidien d'un avril en fleurs sans pour autant s'étendre en longs chapitres. Moments intenses ou petites choses de la vie, tout simplement.

A. G.

lundi matin
escale à chicago
un aéroport un starbucks
saul bellow est mort

coude à coude
entre un shakuhachi et une canon
l'impassible vieil homme
au baladeur

inconfortable siège 35d
l'invisible chloé
pour compagne

ombres
de nuages
sur nuages

shinkansen vers tokyo
la boîte bento
je la garde pour milan

gare de tokyo
le centre mobile des choses
le centre des humaines choses

Dans la nuit de Shinkiba d'incessants parapluies luisent sous les lampadaires protègent de l'averse solitudes masculines féminines. Terminal sud-est de la ligne Yurakucho train et autobus prennent le relais. Serait-ce la pluie ou bien tous ces bocaux de condiments sur le comptoir. Langueur consécutive aux longues envolées ce pourrait bien être ça. Peut-être aussi le timide sourire de la jeune fille en costume. Après avoir posé sur ma table un cendrier un verre une pinte de lager commandée en pointant la pub elle se dirige vers les cuisines. Solitude d'avril j'allume une cigarette transitoire que je suis sous une lumière crue. *Curry-shop* aux allures de *truck-stop*. Banquette du fond donnant sur la nuit qui mouille les parapluies six étudiants en début de session sont de retour en ville. Cravates rayées sur chemises blanches candide jeunesse et lumineux sourires. Haruki Murakami serait-il dans les parages. Sonne la caisse la jeune fille au costume rend au costaud client sa monnaie. Camionneur.

il était un jour
un lundi matin qui devient
un mardi après-midi

allongé sur le futon
mes valises
tout autour de moi
enfin arrivé

dormir presque sur le sol
tout près d'une voie ferrée
souvenirs d'enfance

Café des habitudes donnant sur ciel matinal voies du métro de surface et distributeurs de billets. Station Shinkiba nous sommes en ville mais tout est si calme. Trompette de Miles en sourdine et dans ma tasse le créma onctueux. Vingtaine ou cinquantaine aucune place libre tous impeccables sans exception chacun dans ses rêves bientôt le travail. Ikebana sur table centrale journal cellulaire livre revue à la main. Tout le monde fume. On n'entend que la trompette non pas exactement. La rame arrive en bas les pas pressés. Cette femme devant moi pose son cabaret ma cuillère contre porcelaine. *You're so vain* de Carly Simon. Trente ans plus tard ça sonne toujours aussi bien. Il est mort en mars quatre-vingt je l'ai croisé avant d'entrer. Mon menuisier de père ici au pas pressé. Même regard inquiet devenu *salaryman* à Tokyo City. Vêtements de belle coupe journal sous le bras imper impeccable. Elle ne sucre pas son café trouve dans sa bourse un briquet. Me jettera un regard.

moteurs et sirènes
réveil dans un tokyo bruyant
les yeux fermés
seulement écouter

Flamme d'or de Philippe Stark je te sais près d'ici quelques boulevards plus au nord édifice Asahi. Invisible au piéton ta structure n'en rayonne pas moins sur l'Expressway. Flamme vissée dans les hauteurs les chauffeurs de taxi t'ont déjà oubliée. À pied taxi ou métro ce serait simple. D'une façon ou d'une autre ce serait bien mais pourquoi te ramener au sol pourquoi t'éteindre en moi. Flamme d'or tu es civilisation en terre de civilisation élégance en terre d'élégance. Clin d'œil au *Pavillon d'or.* Flamme d'or tu n'as pas besoin d'être brandie par une dame de fer tu peux te passer du regard de l'homme. Tu es fulgurance et gratuité au cœur de la ville. J'aime te savoir là. J'aime en cette troisième lune marcher les rues et secrètes venelles de la mégapole qui t'a reçue. J'aime ces hommes ces femmes. Ils s'agitent pour ainsi dire en silence. Entrent par inadvertance ou nécessité dans ma bulle. Chatoiement de tissu. Flamme d'or je te sens si près et partout. Tu brûles en moi toute idée de mesquinerie. C'est déjà pas mal.

sortir seul dans la rue
je fais quelques pas
me retourne
savoir revenir

Ici comme là-bas ménager ses transports quand les portes se referment. Ici comme chez toi le regard du parti loin dans ses pensées. Parfait nœud de cravate normatif formalisé. Candide pub serait-elle toujours efficace. Dernier gadget gomme à mâcher ou études supérieures. Fragile est ce lobe et la perle légère. Vise la banquette nous ne sommes pas heure de pointe. Oublie cette carte elle te mènera où tu veux. Shinjuku E27 pourquoi pas Wakamatsu E03 pour revenir sur tes pas. Tu as tout le temps. Cette femme en costume lit-elle son roman. Le geste est fluide au niveau de la tempe. Se replace une mèche. Rebelle. Aoyama E24 un peu trop rapide tu voudrais étirer. Cravate bourgogne sur col blanc Women's University ou tour à bureaux viendra s'asseoir sur ta gauche. Veston contre veston l'ourlet de sa jupe parfaitement pressé les portes glissent. Dans trois minutes l'ouverture. Elle vient de monter tu ne sais plus où tu vas. Roule que roule tu l'imagines au bureau vaille que vaille elle y est déjà. Tu entends le silence japonais.

commander un petit déjeuner
sourire en pointant une image
marmonner arigato

pas pire ce danish egg sandwich
ce natural crispy potato
avec deux lotteria hot kohi

Hachiko répétait à la fin du jour le maître vieillissant au sortir de la gare. Hachiko Hachiko lancé comme ça à la ronde. Neige fondante ou soudaines averses. Le chiot arrivait de nulle part pour venir lui frôler la jambe. Jouant le bonheur en toute fidélité l'homme posait par terre porte-documents remerciait son ami d'être là. Autour d'eux pas pressé jambe rafistolée fatigue prolétaire retournait à la maison. Déjà vu au cinéma en noir et blanc. *Umberto D.* Vittorio de Sica. Là-bas comme ici à Rome comme à Tokyo on sortait de la Seconde Guerre. Veuvage conjugué au féminin et masculine vieillesse. Près d'ici pendant plus de dix ans flocons de neige ou blancs pétales un chien aura vieilli dans l'attente. Un drôle de maître ne sortait plus de la gare. Place Shibuya d'avant les néons. Place des rendez-vous ratés de l'après-guerre. Soixante ans plus tard respire jeunesse. Place au soleil. Hachiko tu es de bronze collier de fleurs sans cesse renouvelé. Au sortir de la gare ils débarquent à Tokyo se recueillent grâce à toi. Dans les bras de son père joli ruban dans les cheveux la fillette pique sa rose dans ton collier.

seul j'écris des haïkus
eux japonais
parlent et mangent

ils savent où ils sont
matin banal somme toute
ils savent où je suis
moi pas trop

Porte-documents soulagé du pas nécessaire. Jeans et veston léger serais-je ce matin devenu Tokyoïte. Père originaire d'Hokkaido peut-être. Ça me fait sourire aux fleurs. Marcher d'un bon pas Ayoama-dori d'est en ouest. Station Akasaka-Mitsuke jusqu'à Shibuya. Qu'importe l'après nous verrons bien. Vibrer en ce quartier déjà lu pour mieux me retrouver. Espace vert s'étirant devant l'ambassade. Quel est son nom déjà. Pas très important. Autant d'arbres fruitiers se dressant dans la brise ça suffit. Huit voies de large circulation sans klaxons dense fluide civilisée à se croire devenu sourd. Mille solitudes sur le trottoir quelques vélos bien dressés se sentir divinisé. Aimer la ville depuis tout petit mégapole ou bien toute petite mais la ville à tout prix. Marcher Athènes ou Montréal jusqu'à très soif Londres et Moscou en état de grâce. Tokyo ce matin personnages tombés près d'ici. Grands magasins *love* hôtels gay cafés salon impérial. Yukio Mishima tu as choisi la mort en soixante-dix tu m'aides à vivre en deux mille cinq. Ayoama-dori. J'entre à pied dans ton décor.

vulgaire gaijin
tout rassuré
par sa conférence
à l'université meiji

salle 9f-1093
liberty tower
being poet in tokyo
among skyscrapers

Grand magasin Seibu combien d'étages galeries marchandes. L'aveugle saurait aux effluves et fragrances. Vivante galerie de personnages prêts à scénariser pour voyant voyeur. Gagner un peu de fraîcheur avant la croûte. Pas de presse nous trouverons bien avant la fin du jour. Coin prêt-à-porter très bien j'achète. Dans une allée du cinquième opère le charme. Urbaine silhouette à la fine gestuelle impeccable dans votre costume. Me rapprocher vous interpeller ne suis-je pas en manque d'information. Je cherche depuis longtemps vous comprendrez à la vue de cette page couleur du site web. *Please madam can you help me. So this winter I found that tea service on Hiroshima website. Where can I get it.* Sans hésitation vous m'avez pour ainsi dire tenu par la main jusqu'au comptoir de vente le plus proche. Téléphoner pour tout savoir rien de plus simple. Je vous tenais dans la mire vous me jetiez brillants regards. Délicates attaches ruban dans vos cheveux. Séduisant personnage pour voyant voyeur. Efficacité japonaise en moins de dix c'était réglé. Dans ma vraie vie réinventée je vous engagerais sur-le-champ. Bibliothécaire.

au lotteria de nouveau
ce matin j'essaie un
rye bread shrimp burger

il semble bien nerveux
ce client japonais
qui s'allume une marlboro
serait-il touriste

Spaghetti à Tokyo pourquoi pas. Sauce tomate pétoncles et caviar de saumon. Pas si mal après tout. Comme toujours je suis entouré d'hommes et de femmes tranquilles. Standard jazz en sourdine pas un éclat de voix. Discussions de bureau intimes dialogues. Pays du costume chacun sa façon. Raffinement tout simple jusqu'au serveur tenant le plateau. Il arrive j'ai faim c'était montré en vitrine. Spaghetti aux pétoncles et caviar de saumon pour le prix de n'importe quel trio. Pâtes pour marathonien pas pressé. Je sais près d'ici le parc Yoyogi le stade olympique le colossal centre de diffusion NHK. Je sais c'est connu. Je préfère marathonienne revenant de garderie épicerie librairie blanchisserie. Remonter Meiji-dori jusqu'à Shinjuku peut-être revenir vers le port en métro. L'espresso sera bien sûr excellent. Table voisine elles portent toutes deux une veste rayée. La jeune fille s'adresse à sa collègue un peu plus âgée. Geste intime. Elle dépose ses baguettes pour reboutonner les poignets de son chemisier. Excellent café. Tokyo ou Milano.

station shinkiba
un deuxième café
au doutour gourmet coffee shop

sueurs froides
un aveugle
dans le métro

Asakusa-dori il y a du sensuel dans l'air. Ce soir la pluie lave l'asphalte mon parapluie distille les sons. Les autos sont lentes luisantes les vélos rassurants je me chuchote l'urbaine trame. Je marche marche. Je marcherai jusqu'au premier quai jusqu'au dernier faubourg. Nous n'en savons rien encore vivants personnages que nous sommes. Me viennent dans la nuit des images plus noires que pastel sur Asakusa-dori. Tokyo cinquante-cinq de la nouvelle vague japonaise. Je ne me rappelle plus le titre. Pas grave tu avances dans la foule et ça ne s'agite plus maintenant que dans ta tête. Veston aux parfums d'humidité le col fermé de ma chemise je louvoie. Devant la vitrine néons allument boutons de nacre. Je me fonds dans la masse en quête de. Je te dirais quelques mots toi première sans parapluie à me sourire. Trois mots à l'oreille avant de t'entraîner dans un bar ou bien ce café. Tu vois la banquette libre t'embrasser férocement prendre ta solitude. La main sous ta jupe t'effleurer la joue mes lèvres sur ta nuque ton col mouillé. En silence je te regarderais. Sous mon parapluie je marcherai sans doute jusqu'au bout de ta ville.

va-et-vient
des parapluies
et des masques

pour aller vers shinjuku
y24-y21 puis e16-e27
tout ce que je vais voir
tout ce qu'il faudra revoir

Début de session sur le campus de l'Université Meiji quelques rues au sud de la Kanda entre les grands jardins du Palais impérial et Ueno Park. Midi trente dans le lumineux hall de Liberty Tower. Secrètes retrouvailles à répétition tout autour. Rendez-vous début vingtaine. Tu es venue de loin tu en as pris du temps toujours ta chambre à la résidence. Près d'une colonne l'habitué analyse son horaire. Hall de Liberty Tower madame Amano et professeur Obata. Premier cours dans quelques minutes. Plan de cours lecture en musique période de questions. Ça sonne les lents débuts de session dans l'amphithéâtre du dixième étage. Épuisé près du sommeil étudiante modèle timide sourire ou visage fermé. Université égale à elle-même par sa puissante diversité. Classe du professeur Obata aux accents d'Amérique alors qu'en ma Sagami chacun dort sa nuit. Lire ses propres textes à des Tokyoïtes qui n'ont jamais lu Mishima. Vérification faite c'est partout pareil.

tokyo
de l'exotisme
ces skyscrapers
me protègent

danger mortel
que de rêvasser
en traversant
la nishishinjuku

Ce serait bien marcher du campus de l'université jusqu'à l'Institut franco-japonais tout en longeant la Kanda. C'était si bon juillet 2002 sur la Moskova entre place Rouge et parc Gorki. Un peu plus au nord Sotobori-dori direction ouest trottoirs sans papiers ni mégots rivière domptée sous un ciel limpide. Cerisiers en fleurs. L'affaire d'une heure mais nous sommes pris par le temps. Taxi taxi ce sera pour la prochaine fois. Au grand soleil ou sous la pluie marcher Tokyo pour ne faire que l'effleurer. À peine sans peine. Taxi tout nickel le chauffeur est ganté. Ville devenue enfer de banalité. J'effleure la vitre du bout des doigts le givre de mes hivers d'enfance. Tu vas trop vite Ueno City. J'imagine ta sordidité. Tes luxures me viennent en vagues successives. Tu croules sous les pétales tu sais trop bien gommer misères et violence. On pourrait tout croire d'un autre temps mais c'est pareil ici qu'ailleurs. Ça va bientôt hurler dans tes venelles subir tomber saigner en silence pour s'écraser contre les poubelles. Je sais trop bien ville de tous extrêmes. Cerisiers en fleurs sur la Kanda. Pleine vitesse.

visite au mejiro store
petite boutique de flûtes
trouvée sur le web

dans une étroite allée
bouffe incroyable
au komatsu bar
pay in cash in yens only

gloria gaynor chicago billy joel
michel andré jérôme
kampai

Il faut gravir la venelle en pente raide pour arriver en France en débouchant sur la terrasse ombragée d'un bistro perdu. Institut franco-japonais médiathèque amphithéâtre et librairie. *A taste of honey* dirait-on outre-Manche. Sommes-nous au cœur de Tokyo ou dans les hauteurs de Nice. On ne sait trop. Platanes et marronniers sont bien là question de latitude. La Kronenbourg sera toujours la Kronenbourg. *A taste of* doulce France. En pause-café le Marseillais de vingt-trois ans fume sa Marlboro et moi ma Peace japonaise. Cheap ma Peace pas important *man no problem.* Rai de soleil sur table ronde à portée de mots deux étudiantes fin vingtaine sont venues côtoyer des parlant français d'Amérique. Nous y sommes demoiselles nous y sommes. Elles se souviennent parfaitement c'est gravé pour la vie. Université Concordia sur Montréal et puis cinq cents kilomètres plus au nord Université du Québec à Chicoutimi. En France sur Tokyo parler comme ça de la Saint-Laurent et de la rue Racine. Question de longitude. Web polyglotte et études internationales se sont allumées dans leurs yeux petites flammes. Dans les miens aussi enfin j'imagine. Question d'attitude.

4 h 10 du matin
seul sur le trottoir
de la yumenoshima
circulation incessante

Ça allait de soi André de Gatineau tu seras ce soir l'ultime lecteur. Nulle traduction simultanée dans le creux de l'oreille traduction plutôt en côte à côte. Nous sommes tous là auteurs musiciens étudiants professeurs ou diplomates amants de la littérature toutes origines confondues. D'ici ou de Yokohama ils sont peut-être deux cents dans la nuit de l'amphithéâtre. Sur scène c'est chacun son micro chacun sa lumière. Tu proposeras ton haïku par deux fois ton ami Ryu le reprendra dans sa langue par deux fois. Tu soumets tes images vous occupez tout l'espace ça se met à bouger par en dedans. Votre fine lame s'amuse à me fendre je remonte mon temps mais qui traduit qui. Entre Ryu et moi chuchotes-tu en effleurant le micro il y a une correspondance longue de dix ans. Ce soir est notre première rencontre. Sur scène deux poètes de fort gabarit se jaugent se reconnaissent en jouant de complicité. Douce voix outaouaise et deuxième un peu plus sèche musicalité de la langue pourrions-nous dire. Vous êtes d'une touchante fragilité.

le chauffeur
du fuji air cargo express
descend de son camion
entre au 24 h daily yamazaki

d'autres camionneurs
y feuillettent déjà
des revues pornos

Froids et distants les Tokyoïtes peut-être bien. Je ne vais pas m'en plaindre. Station Shinjuku gare de correspondances où vous êtes chaque jour plus de deux millions à transiter il n'y a pas de temps à perdre. Moi n'importe quand comme jadis en carrefour romain à en perdre la tête. Louvoyer dans les silencieuses galeries. Oublier nord et rez-de-chaussée. Prendre le pouls de la mégapole dans son artère vitale si facile d'accès si près du cœur qui pompe qui pompe. Miracle à la japonaise Europe unifiée Amérique repliée et Asie en affaires. La gare sera toujours la gare puissante fourmilière émouvante. S'attabler dans un pub à l'anglaise perdu sous terre puis vous voilà toujours et encore. Commander bière et curry. Précisions sur un cimetière. Passage à la caisse et ce lumineux sourire comme nulle part ailleurs. Vous qui marchez en silence entre le point A et votre point B j'entends le glissement de vos pas. Pas de temps à perdre vous gagnez en savoir-vivre. Affluence sans bousculade serait-elle le propre du Japon.

dans le parc shinkiba
je bois un
kirin creamy koiwai milk coffee
chaud

passe
un cycliste
tenant
une canne à pêche

Ce sera donc la périphérie. Michel redevenu Kid en quête d'instruments et accessoires. C'était prévu tu ne peux pas ne pas y aller nous irons avec toi. Peut-être le trouveras-tu ton shakuhachi antérieur à l'ère Meiji. Station Shinjuku c'est parti direction nord-ouest. Le soleil tape fort sur l'homme chauffe pavés et asphalte. Nous sommes assoiffés mais en avons vu d'autres adresse en main et cœur à l'ouvrage. Tu connais propriétaire prix et inventaire sans y être jamais allé. Plus loin que prévu. Taxi désorienté les rues deviennent passages ça coupe partout les ruelles. Craven Road Londres. Musicien de Nord-Amérique tu seras entré dans l'espace réduit comme d'autres en religion. Le pas respectueux et profonde conviction. Virtuel prend visage. Discours d'initiés sur partitions parfumées au bois. Instruments en vitrine. Temple du shakuhachi impose son rituel. Elle te présente son plus beau tu le portes à la bouche. Elle est aux anges nous sommes cloués. Ta plainte est averse localisée et lune incertaine. Michel Dubeau redevenu toi cent kilomètres à l'est de Fuji. Le shakuhachi de la dame sonne les automnes laurentiens.

parc wadakura
près de la fontaine
les office ladies
apportent leur lunch

espresso et platanes
tout à coup être ailleurs
que sur la yasukuni

Périphérie nord-ouest l'étroit sens unique prend des allures londoniennes. Retour en classe après le dîner. Sur le trottoir tout pavé entre autos et vélos l'intime attroupement en attente du vert signal est bleu marine. Prudence et mise en garde. Institutrice début quarantaine calme et posée mais est-ce bien elle qui accompagne ses élèves. L'inverse peut-être comment savoir. Au passage clouté une femme et quatre identiques de six ans sorties tout droit d'un livre d'images. D'un geste de la main elle capte l'attention silence automatique. Pays du respect de l'autorité et du bien joli costume. Vibrant catalogue d'uniformes ou candide manga. Nul laisser-aller ni guenille ni saleté. Souliers noirs cirés ce matin, bas blancs retombant sur la cheville col marin liseré blanc foulard rouge petit chapeau rond sac à dos en cuir sac à main en vinyle. Avant que le signal ne tombe au vert avant qu'elles ne se perdent au coin de la rue croiser le regard de l'institutrice. Sobre silhouette d'autorité. Sourires entendus. Fière de ses élèves.

près du café de crié
la bakery shop
voir mes premiers pains

uniformes noirs aux boutons dorés
des écoliers enlèvent
veston cravate casquette
pour se chamailler

Elle est bien notre maison toute de bois sous le rail. Étonnant espace de tranquillité cinq mètres sous JR Keiyo Line charpenté de cèdre et de pin. Parement crème et lumière diffuse suscitant réflexion mais elle jure dans Shinkiba. Train métro parc en fleurs et lourdeur portuaire. Transport du fret camions en tous genres entrepôts de bois juste en face. Six heures du matin. Au sortir de la douche la marche se fera exploratoire avant mon premier café. Cette journée sera chaude je la voudrais de quarante-huit heures. Haies en fleurs sous les arbres tuteurés et ponts à répétition. À droite comme à gauche la circulation est déjà lourde. Halte sur le tablier le soleil se montrera bientôt. La barge s'arrache du quai pour amorcer sa lente dérive vers le centre du canal. La baie de Tokyo est tout près je la sens elle est force de travail. Maison toute de bois du port de Tokyo tu es modèle d'architecture. Le soleil de ton petit matin est le même qui se couche là-bas sur ta sœur d'Amérique. Brique d'argile sur les écluses de Saint-Lambert.

ciel gris tout gris
la porte du métro s'est ouverte
sans bruit

en un rien de temps
huit taxis se sont stationnés
à l'entrée du métro

Bistro désert déroutant choix musical sobre design. Ginza Excelsior Café. Vouloir finir mes jours ici. Poser tasse de café sur table basse pour attraper livre de poche. *Les dimanches de monsieur Ushioda.* Journaliste retraité et autres personnages défendent le *keyaki* centenaire qu'on voudrait bien abattre. À côté trois dames prennent le thé. Basses fréquences et respect de l'arbre qui nous survivra. Je vois mes épinettes comme Inoué Yasushi a pu écrire *Ushioda.* En Amérique je planterai dans ma cour un arbre fruitier pour le voir se tordre d'une floraison à l'autre. Ginza réalité Ginza fiction la jeune fille en costume me servira une autre tasse qui fait le matin éveille les sens. Double espresso. Prise deux sur table basse pour retrouver mon dimanche en périphérie. En toute élégance dans son complet anthracite l'homme prend place sur ma droite. Port de tête confinant au littéraire journal café noir. Journaliste à la retraite ou personnage à écrire. Livre de poche sur table basse.

6 h 35
jazz au chat noir coffee house
café et toasts
avec strawberry jam made in australia

Pour accéder à la terrasse l'escalier en colimaçon. Vue sur espace vert boulevard à plat édicule verre et granite de la station Onarimon. Samedi d'avril les tours retrouvent le silence les *salarymen* remontent à la surface. Mouvement empreint de complicité ils ont été six à se détacher de la masse sans doute collègues de bureau. Le plus jeune a tenu la porte aux autres. À la table voisine ça parle maintenant sans arrêt. Bouchée de temps à autre éclats de rire en cascade. Six collègues en costume se reverront lundi. Dans le parc l'érable et le *keyaki* cohabitent depuis quand. Ville au ralenti. Ma serviette de ratine depuis longtemps repliée sous la soucoupe. Leur semaine aura été dure pas la mienne. Ne rien brusquer ne plus bouger ne sommes-nous pas en intimité. Farniente à deux pas du centre-ville. Jardin botanique sur Sherbrooke. Boulevard espace vert éclat de rire sur ma gauche décompresser en mégapole. Tout laisser sur la table passer à la caisse revenir. Bière blonde prise deux samedi au ciel limpide.

feuilleter the daily yomiuri en japonais
regarder les photos
tous ces chiffres
ne pas savoir pourquoi

Près de la gare Yurakucho disposées là pour le repos du guerrier tables et chaises de rotin dans l'artère large de six voies. Chuo-dori devenue piétonne. La fillette en week-end peut laisser la main de sa mère pour courir partout comme si nous étions à la mer. Cet après-midi le grand boulevard de son père et de sa mère lui appartient. Il est juste pour elle nul taxi nul camion juste pour toi petite fille de trois ou quatre ans. Les premiers pas dans le vide que tu oses deviendront-ils dans vingt ans souvenir à raconter à ta propre fille. Tu ne sais pas encore moi je vois. Cette petite qui naîtra dans les alentours de deux mille vingt-cinq sera-t-elle aussi candide. Sera-t-elle enjouée comme toi à en ravir tous les piétons petit satellite gravitant dans la grande rue autour de tes planètes. Petite fille devenue terre et mère sera-t-elle aussi élégante que la jeune femme en pantalon ajusté tenant la main de ton père ou de son amant. Soixante-douze ans en deux mille vingt-cinq est-ce possible. Faudra bien revenir sur Chuo-dori. Juste pour vérifier.

samedi matin
au pays du soleil levant
le soleil hésite
à se lever

fatigué nauséeux
rares passants
ni les costumes ni les cravates
des salarymen

Dix-neuf heures les pétales tombent dans la lumière au déclin. Une lager après des kilomètres dans Ginza. Ne pas quitter Tokyo sans cette bière ne plus vouloir quitter Tokyo. Pronto Bar Café contigu à la station Yurakucho là-haut le rail et l'Expressway. Rames en rafale circulation rapide ça se sent ça s'entend. Haute densité humaine richesse évidente pas de place pour le spleen. Jeunesse bellement volubile je te tourne le dos assis que je suis au bar par nécessité. Te dire comme je te ressens pas un centimètre de libre. Début de week-end cravate dénouée ruban dans la bourse ta nuit sera chaude. Fureur de boire sonne la caisse et ma cigarette trouve son compte. Barmaid aux manches roulées sur l'avant-bras tu bosses pour la peine. Devant ta force de travail je ne suis que *gaijin* ayant marché ta ville frénétique. Gestuelle de composition je me chantonne un Bécaud d'avril : *Les chemisiers sont blancs…* Un petit creux dans les commandes est-ce possible. Bras croisés sur chemisier impeccable tu m'accordes un sourire. Dernière pinte avant l'ultime repas. Ce sera quelque part tout près d'ici. Sous le rail et l'Expressway.

à fukagawa
j'ai posé mon sac
devant bashô
pour une photo

Vous tous en bas qui vous activez cette nuit sur la barge vous ne saurez jamais. Tout près d'ici dans mon lumineux *curry-shop* aux allures de *truck-stop* j'aurai gagné le titre d'habitué. À la caisse elle était tout sourire. Dans un élan de complicité la jeune fille au costume m'a présenté un coupon-rabais échangeable lors de ma prochaine visite. Dix pour cent d'escompte sur mon prochain repas. Elle était tout heureuse comment lui dire moi qui plus tôt étirais crevettes au curry café bière cigarettes. *I'm sorry leaving tomorrow. Shinkansen to Nagoya you know.* Quelque chose de cassé dans son regard dans mon ventre. Elle me tendait le coupon que j'ai accepté en cueillant ses mains dans les miennes. *Arigato domo domo. Be sure it will be my prettiest souvenir.* Ses jolies mains dans les miennes papier monochrome deux solitudes à trois pas de la caisse. Comme pour faire exprès la radio jouait nippone ballade de nuit. Habitué de la place devant une jeune fille que je ne reverrai jamais plus. Vous tous en bas qui vous activez dans la nuit vous ne saurez jamais pourquoi je suis sur ce pont à vous observer. Ça scintille dans ma nuit. Sur nous tombent les secondes.

retour par le kiyosubashi
nous avons regardé
couler la sumida
une pause en pensant à niji

Avant de passer au guichet en griller une dernière au débarcadère de la gare de Tokyo façade ouest. Dimanche ensoleillé dans l'ombre du monument je remonte soixante ans en arrière. Deux villes vers l'ouest atomisées et bombes incendiaires par ici à la tonne. Ça brûle sur des kilomètres à la ronde hurlent les sirènes les Tokyoïtes vivent et meurent en enfer. Le soleil ne se lèvera plus jamais. La ville est sous observation depuis les porte-avions le palais impérial dans la mire. Façade occidentale de la gare de Tokyo tu prends valeur de temple au pays des temples. En grillant cette dernière cigarette avant de quitter pour Nagoya j'interpelle tes briques d'argile. Pas de réponse sauf les oiseaux d'avril d'un petit dimanche matin. Soixante ans de paix et de labeur voilà ce que je crois entendre. Ça vient de la rue ça vient du chauffeur aux cheveux blancs venu ouvrir la portière à la dame. Rage de vivre labeur ténacité c'est inscrit dans votre digne sérénité. Poubelle nulle part pas de cendrier c'est du propre. Prendre appui sur brique rouge écraser du pied mégot glisser dans mon paquet.

au robata honten
avec allen octavio ryu et emiko
la poésie se porte très bien

Ça bouge ça glisse nous prendrons bientôt de la vitesse. Peu de voyageurs dans le P-17 la chemise me collera à la peau pour encore un bon moment. Le Shinkansen à cette heure-ci trop tard pour voir le Fuji perdu qu'il sera dans sa nappe de brouillard. Nous reviendrons c'est certain question de temps. Il y aura la montée du super volcan. Je reviendrai par nécessité. Utopie urbaine s'étire en faubourgs et banlieues. Avec Mishima et Murakami mes guides je me suis saoulé de tes trottoirs. Je t'ai effleurée tu as encore tout à me dire. Maisons sous le rail piétons en week-end jardins intimes sèche-linge partout sur tes balcons. Tu es entrée en moi et ça me fait mal par ici. T'en fais pas Ueno City en latence vois tous ces chemisiers qui seront bientôt parfaitement repassés pour illuminer une autre de tes semaines. Encore demain trottoirs et couloirs seront blancs comme neige. Je n'en serai pas. Ça roule pleine vitesse. Malgré l'opacité du brouillard le Fuji attire tous les regards. Dans l'allée l'hôtesse travaille col ouvert sur foulard de soie aux couleurs de la compagnie. En mode sourire.

shinkansen vers nagoya
entre les tunnels
montagnes et maisons
intermittentes

bullet vagabond sur rail
to be and to yen
autre bento sur le pouce
cette boîte pour sofia

le petit train monte vers kashimo
debout
je regarde la vallée
derrière

erre dans ma tête
une migraine
vacille le monde flottant

Train local entre Nagoya et Nakatsugawa. Quitter le littoral pour monter à vitesse réduite dans les vallons de Gifu. Ralentir une fois de plus. Trois minutes d'arrêt en gare de Tajimi montent ou descendent les voyageurs décontractés beaucoup d'espace. Arbres fruitiers autour de la gare comme à flanc de colline. Bouquets fleuris piqués partout en ville et banlieue familles tranquilles personnages solitaires au regard absent. Bien écouter ce que dit ta mère. Tabloïd ouvert sur statistiques du baseball professionnel. À l'ombre sur le quai numéro deux la femme au collier de perles porte son regard vers la droite que peut-elle bien voir. Le vénérable cerisier de l'enfance frappé en août par la foudre et les saisons passées trop vite. M'asseoir pour un moment auprès de vous j'aurais aimé mais les portes se referment automatiquement sur votre frêle silhouette. Dans le prochain train un amant pour vous peut-être. Bientôt le pays de monsieur Nakashima.

corbeaux
et chiens
réveil à kashimo

chloé à mes oreilles
matin frisquet
dans les montagnes

Invitation à remonter le temps au centre culturel de Kashimo. Commencer par retirer les chaussures dans le vestibule. Fierté du village depuis plus d'un siècle la coupe du cèdre sacré parfaitement intégrée au socle de bois verni. Centre désaxé typique de la pousse à flanc de montagne diamètre de plus de deux mètres. Vertige. Jaugeant la pièce de la main experte de l'aïeul charpentier je me prends à compter les cercles de croissance. L'enfant sans souliers ayant perdu sa mère finirait par s'y perdre ne pas paniquer c'est tout daté. L'arbre à la coupe était vieux de six cents ans. Le colosse de la forêt impériale a été élevé à la fin du dix-neuvième au rang de pilier de temple. Nara Osaka Kobe ou Kyoto on ne sait trop mais loin d'ici. Corvées et contraintes problèmes de logistique maintenant si près de Bouddha. Sur les montagnes de Kashimo il tombe une pluie d'avril et les parapluies dégoulinent dans le vestibule. Les pieds au sec dans le centre culturel au bois veiné le sans-souliers redevenu grand ne peut que s'incliner. Matériau ligneux et architecture d'avant-garde se prêtent bien à l'hommage.

quinquagénaire en lotus
sur une grosse pierre
l'eau de la cascade
miroir de rien

Il n'est pas dans mes habitudes de fixer la silhouette à l'arrêt. Comment résister. J'en ai cinquante-deux et je tiens à photographier le visage de ta jeune vingtaine. En te cadrant ce soir je me sens vieillir un peu professeur près de la retraite alors que tu es la jeunesse que je côtoie chaque jour au collège. Nao toi fière citoyenne du monde tu sais nous recevoir dans ton village en fleurs qui s'étire entre montagnes et rivière. Il y a peu de temps à peine dix minutes tu souriais en me voyant retirer mes chaussures dans le vestibule. Je devine que cette semaine tu seras de toutes les solutions. Lourde tâche tu seras parfaite ça se voit à ton regard. Ce sera une intense semaine. Voilà Nao c'est enregistré pour ainsi dire numérisé tu pourras bientôt te voir sur le web. Nao de Kashimo tu es en tous points pareille à celles que je reverrai dans une semaine au collège. D'une lumineuse jeunesse.

chorale d'écoliers
regarder chacun
les compter
perdre le compte
recommencer

Les cours reprendront dans quelques minutes à l'école primaire chacun profite à sa façon des dernières minutes. Garçons en uniforme de l'école impériale et jeunes filles dans leurs robes marine au col liseré blanc. Des lunes qu'on doit ainsi courir ou bien marcher sous les cinq cerisiers arborescents. Perspective en fleurs la montagne protégeant depuis toujours le village qui s'étire dans la vallée. Arbres emblématiques plantés il y a près d'un siècle entre l'espace récréation et le terrain de soccer. À quoi pouvait ressembler la cour de l'école des grands-parents. Faudrait poser question à l'historien. Le terrain de sport devait être tout bambous suffit de jeter un œil à la ronde. Une fille et trois garçons se détachent du groupe me saluent en levant le bras. Dans les Alpes japonaises l'insouciance se conjugue en uniforme. Espadrilles blanches comme fleurs de cerisier.

préparation de la cérémonie du thé
petits pas
chuchotements

en seiza sur le tatami
les jambes engourdies
comment mais comment
me relever

Rituel guerrier comme s'il était question de vie ou de mort. L'archer vise la cible qui crève la nuit sous la lune les étoiles les projecteurs au mercure. L'arc bandé à l'extrême l'homme est sans âge et le cercle concentrique est pour nous sans grande importance. Esthétique de la perfection. Faillible mortel deux flèches rateront le disque. Rituel guerrier comme s'il était question de vie ou de mort la femme est toute-puissance. Assis derrière sur ses talons l'arc posé par terre l'octogénaire au repos verra la flèche fendre la cible. Rituel guerrier rituel millénaire le troisième archer est de tous âges. Assis derrière sur les talons arcs posés par terre l'homme et la femme fixent le point qui crève la nuit. Sous la lune et les étoiles je sais les projecteurs au mercure. La flèche semble avoir atteint le cœur. Je songe à la vie je songe à la mort. Silence dans la vallée.

catch up with the west
and overtake it
tire d'érable sur baguette

Après la douche matinale prendre plaisir à rythmer de mes pas l'asphalte mouillé du chemin en épingle. Humide chatoiement dans le bosquet de bambous. L'eau perle sur mon parapluie mon chandail prend quelques gouttes les montagnes se perdent dans la bruine. Sur ma droite et bientôt sur ma gauche le filet d'eau ruisselle en cascade dans le tout béton. Maintenant sur ma gauche et bientôt sur ma droite le drain de voirie joue parfaitement son rôle. Alpes japonaises Appalaches bouclier laurentien les pluies printanières préparent nos étés. Sous un ciel de feu sous les cellules orageuses avancent les plaques tectoniques sans demander permission. Cinq milliards d'années. Fosse du Labrador ou fosse du Japon dépression boréale ou faille abyssale lithosphère en recherche d'équilibre. Qui est l'homme marchant sous la pluie. L'eau de ma douche se lave déjà aux minéraux ira un jour mouiller la rizière en bas dans la vallée. Peut-être sera-t-elle bue par la racine de l'arbre. Peut-être descendra-t-elle jusqu'à la mer au sud-ouest pour se condenser et retrouver sa pureté. L'eau qui m'a douché ce matin reviendra-t-elle perler à la base du pommeau avant de tomber sur la planche de cèdre imputrescible.

éclairs dans la soirée
les montagnes auxquelles
je ne pensais pas

bashô
si tu venais voir la lune
on se manquerait
je suis couche-tôt

Journée de route de sueur et de labeur dans le corps le commis voyageur débarquant à l'auberge se verra offrir les bains par l'hôtesse. Raffinement respect du client subtil message de savoir-vivre. C'est depuis longtemps entré en littérature. Au pays de la blancheur le col de sa chemise doit toujours être impeccable. C'est inscrit dans la gestion de l'entreprise costume et camionnette aux couleurs de la compagnie. Se rendre au dépanneur du coin pour jouer le commis voyageur perdu là-haut dans la montagne. *Come from Tokyo madam look those dirty collars.* Sourire entendu de la femme en costume. Il faut tout envoyer à Gero pas prêt avant deux jours *Tuesday morning.* Au pays des auberges de montagne fine poésie et prose de précision cohabitent avec le réel. Je songe à Kawabata j'entre dans son texte nous sommes sous le charme. Voyez-la toucher vos chemises.

beautés de la montagne
si belles
sur le moniteur
du caméscope

Dans la grande salle de l'école le face à face était intime. En demi-cercle vous étiez cent nous étions trente sur une ligne. Touchant face à face aux regards amusés. Centre de Honshu devenu centre du monde la fin d'une enfance joyeuse attentive policée. Étonnés par *Le petit bonheur* de Félix vous aurez été séduits par des adultes hésitants lorsque nous nous sommes pris à chantonner. C'était un petit bonheur. Après ce fut le nôtre. Les plus âgés d'entre vous se sont levés dans un ordre parfait pour monter sur la scène. Trente adultes ne savaient plus trop le cap mais aux premiers accords de la pianiste c'était limpide comme l'eau de rivière. Sur la grande scène l'hymne de l'école en tierces et en quintes. En chœur et avec cœur vous chantiez juste. Saviez-vous votre puissante beauté. La déferlante je l'ai reçue en plein ventre. Dans la grande salle de votre école.

réveil courbaturé
les montagnes immobiles
sans douleurs
sans réveil

ce matin encore
un corbeau
le premier
me salue

gymnastique matinale
sur la galerie
devant les montagnes

Cours de langue cours de sciences ça trime dur tout près d'ici. Sous le pare-soleil resteront immobiles jusqu'à la sortie des classes les bicyclettes. Cour d'école sans mille autobus. Pays de montagne c'est à n'y rien comprendre. Quitter le village franchir le pont pédaler sans répit les épingles jusqu'ici. Faux plats et montées. Toutes ces bicyclettes parfaitement alignées sous le pare-soleil. Dis-moi irremplaçable Nao. Tu conduis fièrement ta Honda en ton enfance pas si lointaine était-ce l'école à bicyclette. Tu souris Nao tu ne me réponds pas. Laisse-moi imaginer. Avec ta meilleure amie dans le petit matin brumeux consentir à l'effort pour le plaisir d'expérimenter la force de gravité en fin d'après-midi. Je vous vois toutes deux en numérique. Livres et cartables dans le panier. Cheveux au vent et rires lumineux.

6 h
marcher vers la cuisine communautaire
déjà
rires et éclats de voix

toasts café soupe miso
dix fils de conversation
tisser des liens

chloé
si tu chantais aussi
en japonais

Tombe la pluie depuis des heures. Au Pinokkio Café j'étire ma bière. Plan du village et cartes sur table je survole le Japon des sources thermales. Le papillon se pose toujours sans crier gare. Je ne vous ai pas vue venir. À ma droite vous êtes assise sur les talons femme bien réelle déjà à l'ouvrage. Sans un mot sans me lancer un regard vous investissez toute concentration sur l'origami cheveux noirs noués sur la nuque comme fière Attikamek. L'oiseau prend forme votre dextérité charme l'homme. Moment intime cérémonie du thé en filigrane je n'ose toucher mon verre. Pédagogue du moment votre générosité est chaleur qu'on voudrait planétaire. Sans aucune parole offrir la cérémonie du papier au solitaire venu de loin. Tombe la pluie il y en a pour la journée vous la faites en moi pétales d'avril. Le torse incliné les mains en offrande vous me présentez l'oiseau que je cueille. En silence.

chalet en montagne
odeur de kérosène
pour l'ermite urbain

il pleut j'ai faim
si bashô m'apportait une banane
je ne dirais pas non

Dernier après-midi en ville avant de quitter le pays. Découvrir une autre vallée marcher près d'une autre gare. Takayama petite Kyoto du nord ce n'est pas rien. Fouler ses trottoirs ses venelles entrer dans le *Lost Japan.* Deux heures de bus correspondance à Gero en mi-parcours. Dix heures du matin ça monte plus que ça descend. Retraités sans horaire ils savent tous où ils vont. Neuf ans en soixante-deux voyageur de la banquette arrière j'aimais villes et paysages en Beauce Estrie et Gaspésie. Manège *on the road.* Rivières et vallées moins stressantes que montagnes russes. Rendre son sourire à la dame qui vient de monter. Vieillesse du matin l'autobus du retour sera toute jeunesse. Lycéennes cravatées uniformes froissés sacs jetés par terre discussions animées. La guichetière du terminus de Takayama retourne-t-elle aussi à la maison. Absent regard sur arbres fruitiers vieille dame dans la rue dossier bleu du siège d'en avant. Montagnes japonaises. Malaise *in the bus.*

sous un parapluie
je descends dans la vallée
balluchon sur l'épaule

cannettes de coke
abandonnées
dans le bosquet de bambous

Théâtre Meiji de bois construit depuis longtemps. Ça sent préludes et préambules dans l'étroit vestibule. Dans les hauteurs de Kashimo on ne sait trop. Avril soixante-sept à Sainte-Adèle ou troisième lune de l'an 1478 à Kyoto lumignons diffusent lumière au ras du tatami. Sur la scène brillent les instruments contrebasse *drum* Tama koto sakuhashi Gibson douze cordes shamisen sax alto. De vent de corde de frappe. Foule compacte coussins tous occupés il faut monter là-haut. Au jubé des libertaires rouge de France et bière locale posés sur tatami. Jazz fin de siècle koto millénaire. Ça entre dans le corps ça sonne tous les méridiens. J'accepte les hors-d'œuvre que vous m'offrez. Nous sommes du même âge vous aimez le rouge et moi la bière. Vous allure Woodstock et moi *salaryman.* Parfaite fusion dans les hauteurs de Kashimo.

toute cette eau
qui coule vers le lit de roches
de la shirakawa

dans la vallée
honnir le lacet
bénir la chaise

La Shirakawa est aussi nommée Kashimogawa. Rivière Blanche ou rivière Kashimo. Les pieds dans l'eau de la Blanche rivière de montagne pareille à la rivière à Mars qui coupe ma ville. Faible débit mais nous sommes loin du méandre en eaux mortes. Au cœur de Kashimo on pêche la truite sous les cerisiers et chez moi le saumon en absence d'arbres. Pas un arbre en ce pays autoproclamé expert en foresterie. Vive Shirakawa de Kashimo je serai à mon retour orphelin de ta fraîcheur. Ce serait simple de planter chez soi des arbres fruitiers en perspective comme on l'a fait ici il y a longtemps. Aménager un lit de crue accessible à la lectrice et au pêcheur. Respecter la rivière offrir son cours au coin de la rue sa vivacité au citoyen. Le pêcheur à la mouche debout sous les cerisiers est-il venu se recueillir sur la Kashimogawa ou la Shirakawa.

le siège chauffant
de la toilette toto
le carillon du village

continuelle acrobatie
que de marcher
avec des sulippas

mes pieds avancent un à un
chloé
que penses-tu du japon

Assis sur les talons nous nous laissons porter par la guitare de Tsuji Mikio. Guitare à onze cordes pour Jean-Sébastien Bach. Lumière de la fin du jour se prête à l'écoute. Glissement des doigts et vrille impromptue de l'oiseau. Ça vient du jardin tentative de dialogue. Sourire de Tsuji Mikio. Il est d'accord. Maison de l'ère Meiji offerte au village par famille du médecin décédé. Collation d'après concert sur table basse. Sur les murs photos de l'entre-deux-guerres accompagnent musicien en résidence. Te chuchoter à genoux la fin de Mishima et perdre la voix quand frappe le sabre. La guitare à onze cordes est bien rangée toujours la vrille de l'anonyme du jardin. La tasse aux lèvres je jongle avec les siècles. Lumière de fin d'époque. Jean-Sébastien Bach a-t-il composé des impromptus.

un si petit village
incessantes et rigolotes
sonneries de cellulaires

à petits pas pressés
ils elles s'éloignent
pour parler au cellulaire

Cérémonie du thé premier tatami sur votre gauche. Vous imposez votre image le silence s'installe dans le demi-cercle. Votre geste est de l'ordre du sacré nous sommes en état de recevoir. J'admire votre gestuelle la sobre beauté du kimono je vois Murasaki Shikibu. Mille ans après la dame de lettres de l'ère Heian vous participez du même esprit vous êtes d'un pareil raffinement. *Le dit du Genji* évoque le Japon du XIe siècle. Vous me préparez le thé en 2005. *Le dit du Genji* écrit par votre grande sœur bien avant mon *Don Quichotte.* Vous m'offrez le thé moussé accompagné de trois bouchées. Auprès de vous je deviens fils d'empereur qui n'exercera jamais pouvoir. Manière Genji je choisis bouchée et bois thé moussé pose bol sur tatami trouve votre regard. Auprès de vous Genji trouvais le sourire. Le pouvoir est dans la feuille de thé.

après la pluie
pour tout horizon
les montagnes
dans les flaques aussi

montagnes
le zoom
plus que la foi du photographe
vous déplace

de nuage en nuage
le linge
sur les tiges de bambou
a séché bien lentement

Au sortir du Nohi Bus Terminal la gare de Takayama et le kiosque d'information. Séjour de quatre heures dans la ville d'une millénaire beauté. Soixante-dix mille habitants si peu d'espace sous le soleil. Pas un mégot par terre et temples dans la montagne. Plus d'une dizaine sous les arbres circuit pédestre tracé par moine plongé dans l'ombre ou nuit pleine lune. Éclaireur solitaire sur Hirokogi Street je songe à toi. Tu apprécieras le charme de cette ville. On peut s'y perdre s'y retrouver en longeant la Miyagawa. Parcs en fleurs cafés tranquilles sur étroits trottoirs. Universitaires et lycéens en début de session. Vitrine de saison dans la ruelle. Vêtements pour étudiantes et femme de carrières. VarsityMate *finest wear. We place much importance on the person who wears it.* Lumineux chemisier parfait pour toi. Lucie ou Luciole. *Hotaru.*

les yeux fermés
les jambes allongées
sur le tatami
confortablement
ou presque

À bicyclette pour découvrir les venelles pas très éloignées de la voie rapide. Quitter le GPS généralisé pour le Japon de la microentreprise la bétonnière hi-tech pour le travail du bois chez l'artisan. Dans les hauteurs d'un Japon oublié la fleur du cerisier se fait intime et offre ses pétales au chat errant. Fauve à l'arrêt sous le séchoir à linge et le chant de l'oiseau. Retour à l'enfance shop à bois de grand-père l'artisan travaille au grand jour. Tourne l'antique vilebrequin à l'horizontale sans doute depuis le matin. Objet de luxe en devenir laque japonaise. Le jeune homme au t-shirt bleu et au masque blanc immobilise le ciseau contre le madrier. Travail de maître chuchote mon menuisier de père en toute émotion. Raoul devenu bran de scie nous ne sommes pas obligés de nous tenir si près. L'artisan retire le ciseau laisse tomber son masque pour un sourire.

silence
dans la salle aux tatamis
j'écris

estampe vivante
entre les montagnes
quelques nuages
s'effilochent

Avec quelques membres de l'équipe laurentienne les dames bénévoles réactivent chaque jour le plaisir du don. À la cuisine communautaire du centre culturel on nous sert deux repas par jour élaborés autour de la soupe miso et du bol de riz. Modèle d'architecture au pays du cèdre et du pin la cuisine et la salle à manger sont à l'image de nos hôtes. Conviviale chaleur. Du tranchant de la lame sur l'oignon à la serviette à vaisselle l'espace repas devient polyglotte. Deux fois par jour les baguettes se font santé et la diététicienne serait aux anges. Au pays des temples et du gingembre manger comme un dieu semble être chose banale. Au pays du saké et du thé vert les femmes de Kashimo me font penser à mes sœurs à ma mère à mes grands-mères. Toute la bonté du monde dirait mon père. Coupelle de saké jamais trop loin.

dans une pièce voisine
des instruments s'accordent
concert de jazz
se prépare

oriental bazaar
quand je ferme les yeux
pour tenter d'écrire

leurs notes
sonores
leurs fausses notes
sonores

Dans les bosquets d'à côté jusque là-haut contre les murs du temple vos tambours rythment la nuit en un parfait synchronisme. Gymnase devenu caisse de résonance ça sonne puissamment. *Young professor made in America* a bien appris leçon pour faire corps avec jeunes élèves *made in Japan.* Cohésion en couleur de la frappe du printemps. Rythme guerrier dans les Alpes japonaises pour l'esprit d'équipe pour la beauté du geste. La peau de mon ventre vibre sous l'agression dans le profond silence du chalet de montagne ne resteront bientôt que les images. Regard du fier élève dans le faciès du professeur. *Young Justin made in USA you look like McCartney made in UK. You're the finest American Democrat I've ever seen.*

saké saké
de plus en plus dyslexique
avec ces baguettes

vidé
le okuhida sake 2 liter pack
deviendrait
un joli pot à fleurs

Il faut vous voir au village pour saisir votre grandeur d'âme. L'amour du bois est planétaire. Dans la vallée alpine passion du cèdre rime avec coopération et cohésion. Chacun sa marotte chacun sa fonction chacun sa passion. Modules mobiles et mobilier en toute mobilisation. Forêt sacrée bois d'œuvre usinage de haute précision. Grand-père transforme chutes de bois imputrescible en baguettes pour le marché local. Au soleil ou sous la pluie la richesse est collective le modèle est exportable. Monsieur Nakashima la bonté inscrite dans vos yeux se reflète dans l'eau de la Shirakawa. Florissantes affaires au coin de la rue bonheur de l'artisan architecture d'avant-garde pour la cohabitation du premier et du quatrième âge. Il n'y aura jamais assez d'hommes de votre trempe. Monsieur Nakashima.

dernier matin
pêche aux anguilles
la comptine
que le vieux cuisinier shigeru-san
chante et mime

À l'heure du corbeau dans la brume le rituel petit déjeuner en compagnie de Shigeru-san. Chaque matin vous nous charmez par votre conte votre comptine. Le plaisir est grand quel âge avez-vous Shigeru-san. Vénérable faciès cheveux noir de jais vous êtes l'homme à la poêle de la cuisine en montagne. Il vous suffit de prendre parole pour que l'enfant devienne sensible au drame. Entre nous nul espéranto grenouille et tortue près de l'étang n'arrive à se faire entendre. Mains éloquentes subtile flexion du genou et trait de crayon vous êtes le conteur de Kashimo. Vous jouez trempe d'acier vous êtes fragilité. À la maison des aînés j'ai vu se troubler votre regard. Confirmation dans votre langue la dame rencontrée en 2004 ne pouvait être ce printemps du voyage. Boire son thé en silence.

ici
faire les bagages
être déjà
là-bas

Il n'est pas dans mes habitudes de fixer la silhouette à l'arrêt mais comment résister. J'en ai cinquante-deux et je tiens à photographier le visage de ta jeune vingtaine. En te cadrant ce matin je me sens un peu triste professeur près de la retraite alors que tu es la jeunesse que je côtoie chaque jour au collège. Taku tu es fier travailleur tu as su nous faire découvrir ton village s'étirant entre montagnes et rizières. Tu souriais chaque jour du même timide sourire lorsque tu nous accueillais dans ton minibus. Émouvante semaine à vouloir prendre racine chez toi. Voilà c'est enregistré tu seras bientôt sur le web. Taku de Kashimo tu es en tous points pareil à ceux que je reverrai dans trois jours au collège. D'une enviable jeunesse.

dernière descente à pied
le soleil brille ce matin
les montagnes claires
mon ombre

camélias rouges
cerisiers blancs
le long du sentier

impassibles montagnes
chloé belle chloé
why do we dream

Devant le temple envahi par la végétation le maître zen s'adresse au moine vivant sous l'emprise d'une passion assassine.

sur le fleuve
la lune brille
dans les pins
le vent souffle
longue nuit nuit pure
quelle en est la raison

Réponse sans importance précise le maître. Cherche le sens et tu retrouveras la paix. L'autobus filant vers Nagoya traverse la pénéplaine de Gifu. Haute densité humaine souvent coupée par le lit de crue d'une rivière. Temple shinto perdu dans la forêt de Kashimo rivière en crue et texte d'Akinari. Travail de l'homme sur la nature. Au village il y a plus d'un siècle on a planté cèdres pins et bambous pour contrer le glissement qui emporte qui tue. Cette nuit la lune brillera sur la Shirakawa le vent soufflera dans les arbres. Pure et longue nuit sur Kashimo. Quelle en est la raison. Intense circulation je ne cherche pas réponse.

île dans la mer
aéroport de nagoya
mousse de lait sur cappuccino

avions en premier plan
gris de gris sur gris
en arrière-plan

the ashahi shimbun
the japan times
pour des nouvelles
du vaste monde

Aérogare de Nagoya ça sent à peine la mer comme à Port-Alfred mon point de chute sur la baie des Ha ! Ha ! Procédures d'embarquement je voudrais que ça dure que ça dure. Gestuelle et costume des hôtesses sont tout élégance. Dire que nous ferons escale à Chicago Illinois. Douanes en guerre vulgaires fringues jamais loin du militaire détester son travail chique de gomme Wrigley Field. Dans l'aérogare de Nagoya il suffit de lever les yeux plus haut que de coutume pour voir osciller les bambous dans le bleu du ciel et de la mer. Bateaux à l'ancrage. Derniers arigato et ultimes sourires au pays du savoir-vivre. Au bout du quai de Bagotville sur la baie des Ha ! Ha ! je poserai les yeux sur d'autres bateaux à l'ancrage. Bauxite en provenance de la Jamaïque. Ça sentira à peine la mer. Comme à Nagoya.

survoler le mont fuji
puis vient la nuit ensoleillée
se confondre dans les heures

somnoler
armé
d'un stylo à la main
au cas

aa montreal scooter
le soleil à gauche
la pleine lune à droite
finalement
dorval sous la pluie

ce pays-là
y aller en deux jours
oh illusion
qu'en revenir en deux heures

le japon
c'est aussi hiroko
études à mcgill
résidence sur saint-denis

rêvasser
les noms sur la carte de tokyo
anthologie de poèmes brefs

de tes jupes
chloé
de tes chansons
rends-moi le japon

comme si je n'avais pas
comme si je n'étais pas
rouler en toyota
ici terre de mes ailleurs

Remerciements

Le séjour de deux semaines au Japon a été rendu possible grâce au travail de mesdames Annie Depont, présidente fondatrice de Passage d'artistes, et Pauline Vincent, de l'Association des écrivains des Laurentides. La délégation du Québec aura été cordialement reçue par monsieur Norio Nakashima et par l'équipe de bénévoles de Kashimo, préfecture de Gifu, dans les Alpes japonaises.

Avec Pauline Vincent, Louise Warren, Jérôme Lafond et le musicien Michel Dubeau, les deux auteurs ont été reçus à l'Université Meiji de Tokyo par le professeur Yoshikazu Obata. Ce même groupe a animé *Lumières du nord*, lecture en musique produite par l'Institut franco-japonais de Tokyo sous la direction de monsieur Obata.

Le Conseil des arts et lettres du Québec a appuyé les auteurs, et leur séjour à Tokyo a été facilité par monsieur Norio Nakashima, le Center for International Programs de l'Université Meiji de même que par madame Kimi Amano, attachée culturelle à la Délégation générale du Québec à Tokyo.

Merci
Arigato

OUVRAGE RÉALISÉ PAR
LUC JACQUES, TYPOGRAPHE
ACHEVÉ D'IMPRIMER
EN SEPTEMBRE 2006
SUR LES PRESSES
DES IMPRIMERIES TRANSCONTINENTAL
POUR LE COMPTE DE
LEMÉAC ÉDITEUR, MONTRÉAL

DÉPÔT LÉGAL
1re ÉDITION : 3e TRIMESTRE 2006
(ÉD. 01 / IMP. 01)